习近平总书记在出席庆祝中华人民共和国成立70周年系列活动时的讲话

人民出版社

图书在版编目(CIP)数据

习近平总书记在出席庆祝中华人民共和国成立70周年系列活动时的讲话/习近平 著. —北京:人民出版社,2019.10
ISBN 978-7-01-021473-3

Ⅰ.①习… Ⅱ.①习… Ⅲ.①习近平-讲话 ②社会主义建设成就-中国 Ⅳ.①D2-0 ②D619

中国版本图书馆CIP数据核字(2019)第228814号

(RMC-ZJDXI-081-20190929)

习近平总书记在出席庆祝中华人民共和国成立70周年系列活动时的讲话

XIJINPING ZONGSHUJI ZAI CHUXI QINGZHU ZHONGHUARENMINGONGHEGUO CHENGLI 70 ZHOUNIAN XILIE HUODONG SHI DE JIANGHUA

习 近 平

人民出版社 出版发行
(100706 北京市东城区隆福寺街99号)

北京新华印刷有限公司印刷 新华书店经销

2019年10月第1版 2019年10月北京第2次印刷
开本:880毫米×1230毫米 1/32 印张:0.5
字数:6千字 印数:30,001-60,000册

ISBN 978-7-01-021473-3 定价:2.00元

邮购地址 100706 北京市东城区隆福寺街99号
人民东方图书销售中心 电话 (010)65250042 65289539

目　录

在国家勋章和国家荣誉称号颁授仪式
上的讲话（2019 年 9 月 29 日）…………… （1）

在庆祝中华人民共和国成立 70 周年
招待会上的讲话（2019 年 9 月 30 日）……… （5）

在庆祝中华人民共和国成立 70 周年
大会上的讲话（2019 年 10 月 1 日）……… （9）

在国家勋章和国家荣誉称号颁授仪式上的讲话

（2019年9月29日）

习　近　平

同志们，朋友们：

今天，在全国各族人民共同庆祝中华人民共和国成立70周年之际，我们在这里隆重举行仪式，将国家最高荣誉授予为国家建设和发展建立了卓越功勋的杰出人士和为促进中外交流合作作出杰出贡献的国际友人。

首先，我代表党中央、全国人大、国务院和中央军委，向今天获得“共和国勋章”和国家荣誉称号的英雄模范、获得“友谊勋章”的国际友人，表示热烈的祝贺！致以崇高的敬意！

今天受表彰的国家勋章和国家荣誉称号获得者,是千千万万为党和人民事业作出贡献的杰出人士的代表。他们身上生动体现了中华民族精神和社会主义核心价值观,他们的事迹和贡献将永远写在共和国史册上!

崇尚英雄才会产生英雄,争做英雄才能英雄辈出。党和国家历来高度重视对英雄模范的表彰。今天我们以最高规格褒奖英雄模范,就是要弘扬他们身上展现的忠诚、执着、朴实的鲜明品格。

——忠诚,就是英雄模范们都对党和人民事业矢志不渝、百折不挠,坚守一心为民的理想信念,坚守为中国人民谋幸福、为中华民族谋复兴的初心使命,用一生的努力谱写了感天动地的英雄壮歌。

——执着,就是英雄模范们都在党和人民最需要的地方冲锋陷阵、顽强拼搏,几十年如一日埋头苦干,为国为民奉献的志向坚定不移,对事业的坚守无怨无悔,为民族复兴拼搏奋斗的赤子之心始终不改。

——朴实,就是英雄模范们都在平凡的工作岗位上忘我工作、无私奉献,不计个人得失,舍小家顾大家,具有功成不必在我、功成必定有我的崇高精神，其中很多同志都是做隐姓埋名人、干惊天动地事的典型，展现了一种伟大的无我境界。

英雄模范们用行动再次证明，伟大出自平凡，平凡造就伟大。只要有坚定的理想信念、不懈的奋斗精神，脚踏实地把每件平凡的事做好，一切平凡的人都可以获得不平凡的人生，一切平凡的工作都可以创造不平凡的成就。

希望受到表彰的同志珍惜荣誉、再接再厉，用坚定的信仰、信念、信心影响更多的人。各级党委和政府要关心、关怀、关爱英雄模范，推动全社会敬仰英雄、学习英雄，用实际行动为实现"两个一百年"奋斗目标、实现中华民族伟大复兴的中国梦贡献力量。

同志们、朋友们！

今天，受到表彰的还有长期给予我们支持和帮助的中国人民的老朋友、好朋友。我们衷心感谢他们对中国发展作出的贡献！中国人民愿同世界各国人民一道，推动构建人类命运共同体，让我们这个星球越来越美好。

同志们、朋友们！

一切伟大成就都是接续奋斗的结果，一切伟大事业都需要在继往开来中推进。新时代必将是大有可为的时代。全党全国各族人民要像英雄模范那样坚守、像英雄模范那样奋斗，共同谱写新时代人民共和国的壮丽凯歌！

谢谢大家！

在庆祝中华人民共和国成立70周年招待会上的讲话

（2019年9月30日）

习　近　平

女士们，先生们，

同志们，朋友们：

在这金风送爽的美好时节，我们迎来了中华人民共和国成立70周年。此时此刻，全国各族人民、海内外中华儿女都为我们伟大的人民共和国70华诞祝贺，为祖国史诗般的进步礼赞。

70年来，在中国共产党坚强领导下，中国人民勇于探索、不断实践，成功开辟了中国特色社会主义道路，推动中国特色社会主义进入新时代，中国大踏步赶上了时代，中国人民意气风发走在了时代前列！

70 年来，中国人民发愤图强、艰苦创业，创造了“当惊世界殊”的发展成就，千百年来困扰中华民族的绝对贫困问题即将历史性地划上句号，书写了人类发展史上的伟大传奇！

70 年来，中国人民奉行独立自主的和平外交政策，坚持和平发展道路，坚持在和平共处五项原则基础上发展同各国的友好合作，为推动构建人类命运共同体、推动人类和平与发展的崇高事业作出了重大贡献！

70 年在人类历史长河中只是弹指一挥间，但对中国人民和中华民族来讲，这是沧桑巨变、换了人间的 70 年。中华民族迎来了从站起来、富起来到强起来的伟大飞跃，迎来了实现伟大复兴的光明前景。对此，每个中华儿女都感到无比自豪！

在这里，我代表党中央、国务院，向全国各族人民、全体共产党员，向中国人民解放军指战员和武警部队官兵，向各民主党派和无党派人士，致以崇高的敬意！向香港特别行政区同胞、澳门特别行政区同胞、台湾同胞和广大海外侨胞，致以诚挚的问候！向支持和帮助新中国建设事业的友好国家和国际友人,致以衷心的感谢!

同志们、朋友们!

团结是铁,团结是钢,团结就是力量。团结是中国人民和中华民族战胜前进道路上一切风险挑战、不断从胜利走向新的胜利的重要保证。

在新的征程上,我们要高举团结的旗帜,紧密团结在党中央周围,巩固全国各族人民的大团结,加强海内外中华儿女的大团结,增强各党派、各团体、各民族、各阶层以及各方面的大团结,保持党同人民群众的血肉联系,大力弘扬爱国主义精神,凝聚成一往无前的力量,推动中华民族伟大复兴的航船乘风破浪、扬帆远航。

同志们、朋友们!

我们要继续全面准确贯彻“一国两制”、“港人治港”、“澳人治澳”、高度自治的方针,严格按照宪法和基本法办事。我们相信,有祖国的全力支持,有广大爱国爱港爱澳同胞的共同努力,香港、澳门一定能与祖国内地同发展共进步、明天一定会更好!

我们要坚持一个中国原则和“九二共识”,推动两岸关系和平发展,深化两岸经济文化交流合作,造福两岸同胞。实现祖国完全统一,是大势所趋、大义所在、民心所向,是任何人任何势力都无法阻挡的!

我们要高举和平、发展、合作、共赢的旗帜,坚定不移走和平发展道路,坚持对外开放,同世界各国人民一道,推动构建人类命运共同体,让和平与发展的阳光普照全球。

同志们、朋友们!

中国人民是伟大的人民,中华民族是伟大的民族,中华文明是伟大的文明。历史照亮未来,征程未有穷期。我们坚信,具有5000多年文明历史、创造了新中国70年伟大成就的中国人民和中华民族,在实现“两个一百年”奋斗目标、实现中华民族伟大复兴中国梦的新征程上,必将书写出更新更美的时代篇章。

现在,我提议:

为中华人民共和国成立70周年,

为中国繁荣富强和全国各族人民幸福安康,

为中国人民同世界各国人民的友谊和合作,

为在座各位来宾、各位同志、各位朋友的健康,

干杯!

在庆祝中华人民共和国成立70周年大会上的讲话

（2019年10月1日）

习 近 平

全国同胞们，

同志们，朋友们：

今天，我们隆重集会，庆祝中华人民共和国成立70周年。此时此刻，全国各族人民、海内外中华儿女，都怀着无比喜悦的心情，都为我们伟大的祖国感到自豪，都为我们伟大的祖国衷心祝福。

在这里，我代表党中央、全国人大、国务院、全国政协和中央军委，向一切为民族独立和人民解放、国家富强和人民幸福建立了不朽功勋的革命先辈和烈士们，表示深切的怀念！向全国各族人民和海内外爱国同胞，致以热烈的祝贺！向关心和支持中国发展的各国朋友，表示衷心的感谢！

70 年前的今天，毛泽东同志在这里向世界庄严宣告了中华人民共和国的成立，中国人民从此站起来了。这一伟大事件，彻底改变了近代以后 100 多年中国积贫积弱、受人欺凌的悲惨命运，中华民族走上了实现伟大复兴的壮阔道路。

70 年来，全国各族人民同心同德、艰苦奋斗，取得了令世界刮目相看的伟大成就。今天，社会主义中国巍然屹立在世界东方，没有任何力量能够撼动我们伟大祖国的地位，没有任何力量能够阻挡中国人民和中华民族的前进步伐。

同志们、朋友们！

前进征程上，我们要坚持中国共产党领导，坚持人民主体地位，坚持中国特色社会主义道路，全面贯彻执行党的基本理论、基本路线、基本方略，不断满足人民对美好生活的向往，不断创造新的历史伟业。

前进征程上，我们要坚持“和平统一、一国两制”的方针，保持香港、澳门长期繁荣稳定，推动海峡两岸关系和平发展，团结全体中华儿女，继续为实现祖国完全统一而奋斗。

前进征程上，我们要坚持和平发展道路，奉行互利共赢的开放战略，继续同世界各国人民一道推动共建人类命运共同体。

中国人民解放军和人民武装警察部队要永葆人民军队性质、宗旨、本色，坚决维护国家主权、安全、发展利益，坚决维护世界和平。

同志们、朋友们！

中国的昨天已经写在人类的史册上，中国的今天正在亿万人民手中创造，中国的明天必将更加美好。全党全军全国各族人民要更加紧密地团结起来，不忘初心，牢记使命，继续把我们的人民共和国巩固好、发展好，继续为实现"两个一百年"奋斗目标、实现中华民族伟大复兴的中国梦而努力奋斗！

伟大的中华人民共和国万岁！

伟大的中国共产党万岁！

伟大的中国人民万岁！